Seite **Inhalt**

HINWEISE

ZUR ARBEIT MIT DEN KOPIERVORLAGEN

Die Kopiervorlagen sind flexibel im 1. und 2. Schuljahr einsetzbar. Den Aufgaben liegen die Inhalte der Geschichten zugrunde. Zu jeder Geschichte gibt es vier verschiedene Kopiervorlagen. Auf diesen vier Kopiervorlagen wird je nach Schwerpunktsetzung einmal das **Textverständnis** überprüft, werden Aufgaben zum **Lesetraining** und Aufgabenformate zum Aufbau von **literarischer Kompetenz** angeboten.
Die vierte Kopiervorlage ist als **Basisniveau** gekennzeichnet und ist vor allem für leseschwache Kinder konzipiert.
Die Kopiervorlagen können nach Bedarf und Schwerpunktsetzung genutzt werden. Es ist nicht vorgesehen, dass alle Kopiervorlagen pro Kapitel bearbeitet werden sollen.

Überblick:

1| Textverständnis, Lesetraining

2| Textverständnis, Lesetraining

3| Literarisches Lernen

4| Basisniveau → einfache Aufgaben zur Differenzierung, gekennzeichnet mit

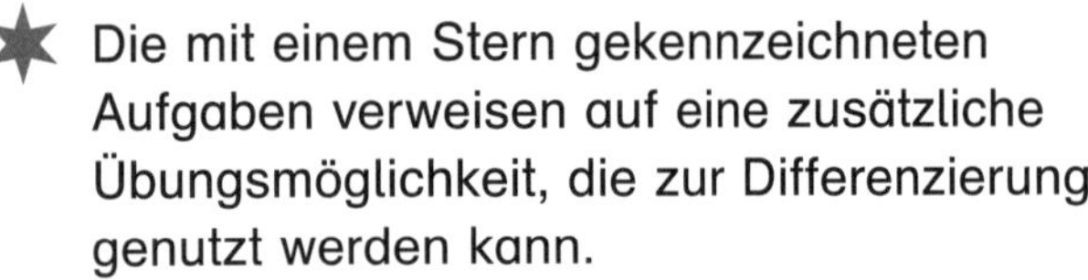

✶ Die mit einem Stern gekennzeichneten Aufgaben verweisen auf eine zusätzliche Übungsmöglichkeit, die zur Differenzierung genutzt werden kann.

KOMPETENZFÖRDERUNG

- Lesefähigkeiten entwickeln
- Leseerfahrungen ausbauen
- Leseflüssigkeit trainieren
- Perspektivübernahme anbahnen
- Handlungsabfolgen verstehen
- Wortschatzerweiterung
- Sprachliche Besonderheiten aufmerksam wahrnehmen
- Texte verstehen
- Kleine Texte schreiben
- Hörverstehen trainieren

EINSATZMÖGLICHKEITEN

- Regelunterricht
- Stationenlernen
- Lerntheke
- Wochenplan
- Freiarbeit
- Vertretungsstunden
- Nachhilfe

Alle Hördateien sowie weitere Zusatzmaterialien können online abgerufen werden:

Für die Schweiz: www.schubi.com/ch/de/landing/lesetandems-1-2
Für Deutschland: www.schubi.com/de/de/landing/lesetandems-1-2
Für Österreich: www.schubi.com/at/de/landing/lesetandems-1-2

Code: Karamellbonbon

GESPRÄCHSKARTEN

Die beigefügten Gesprächskarten bieten spannende Sprechanlässe und laden zu kleinen Diskussionsrunden mit der Klasse oder Gruppe ein. Sie können am Ende eines Kapitels oder auch erst am Ende der Lektüre eingesetzt werden. Die Fragestellungen regen zum vertieften Nachdenken an, erweitern und vernetzen die Inhalte der Geschichte mit eigenen Ideen und Erfahrungen. Dadurch regen sie die Perspektivübernahme an, stärken das empathische Vermögen und fördern so das literarische Lernen.

Mit einem Stern gekennzeichnete Fragen sind provozierende Aussagen, die eine begründete Antwort erfordern. Dies kann man gut mit Ja-/Nein-Karten unterstützen.
Durch diese Aufgabenstellung werden drei von vier Kompetenzbereichen gefördert, nämlich:

a| **Die Grundlagen des Sprechens**
Richtigkeit, Artikulation, Einsatz und Bedeutung von Gestik und Mimik

b| **Die monologischen Formen des Sprechens**
erzählen, präsentieren, eine eigene Meinung vertreten und begründen

c| **Die dialogischen Formen**
sich an Gesprächen beteiligen, moderieren, zuhören, diskutieren, sich auf andere beziehen

Tipp:
Karten auf Buntpapier kopieren und laminieren. So sind sie immer wieder einsetzbar.
Online stehen die Gesprächskarten vergrößert zum Download bereit!

DAS KARAMELLO-ZUHÖRHEFT

Das Zuhörheft, das sich auf die Audiodateien der Karamellogeschichten bezieht, unterstützt grundlegend den Ausbau des Hörverstehens und die Zuhörfähigkeit aller Kinder. Es wird nach dem Hören der jeweiligen Kapitel eingesetzt und ermöglicht eine intensive Auseinandersetzung und Verarbeitung mit dem Gehörten. Die Schreib- und Leseaufgaben in diesem Heft sind bewusst knapp gehalten, da es nur darum geht, das Gehörte nochmals kurz zu reflektieren und eventuell zu bewerten. Die Audiodatei und die dazugehörenden Kopiervorlagen bieten darüber hinaus auch für leseschwache Kinder eine niedrigschwellige Rezeptionsmöglichkeit des Textes. Kinder mit DaZ-Hintergrund haben durch die Audiodateien die Möglichkeit eigenständig den Text mehrmals zu hören und dadurch ein Gespür für den Klang und Rhythmus der Sprache zu entwickeln.

Name:

1 | Nora bekommt einen kleinen Hund.

Mattis, Mama und Nora kaufen verschiedene Sachen für ihn ein.

Was kaufen sie? Schreibe auf und male.

....

....

....

....

....

2 | Verbinde die Bausteine und schreibe die Wörter.

Frei Mon woch tag tag Mitt Sams Diens tag tag

....

....

Welcher Wochentag fehlt? Schreibe auf.

....

Wie viele Tage muss Nora warten?

....

3 | Male die Felder aus, die ein K, A, R, M, E, L, O enthalten.

Hier versteckt sich ....

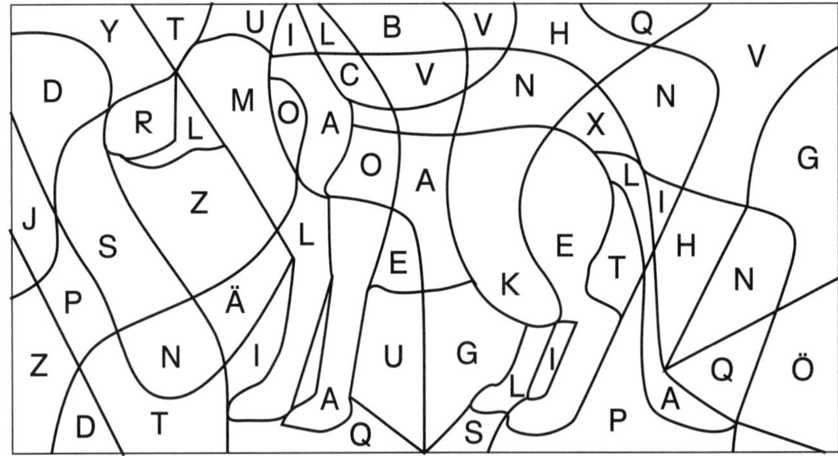

Name:

1 | Schneide die Textfelder aus.

Klebe sie in der richtigen Reihenfolge in dein Heft.

Unterstreiche diese Wörter:

Fellknäuel Samstag Tage Wunsch Tierheim warten

Nora kann nicht einschlafen. Immer muss sie an ein Fellknäuel denken. Ein Fellknäuel mit vier Beinen.	Sie wünscht sich schon so lange einen Hund. Am Samstag geht ihr Wunsch in Erfüllung.
Sie holen den Hund am Samstag im Tierheim ab.	Zuhause haben sie alles vorbereitet. Sie haben eine Leine, einen Korb, ein Halsband und einen Fressnapf gekauft.
Nora kann es kaum erwarten bis es Samstag ist.	Dauernd zählt sie die Tage. Egal wie oft sie zählt, es sind noch fünf lange Tage.

✶ **Erzähle die Geschichte in der Reihenfolge der Wörter von oben nach.**

Name:

1 | Wie oft findest du die Wörter in der Geschichte?

Zähle nach und schreibe auf.

☐	Nora	☐	fünf
☐	dann	☐	Mattis
☐	Samstag	☐	Hund

2 | Suche in der Geschichte das Wort heraus. Schreibe es auf.

Seite 9, Zeile 3, 4. Wort ....

Seite 9, Zeile 11, 5. Wort ....

Seite 10, Zeile 18, 3. Wort ....

Seite 11, Zeile 31, 6. Wort ....

Schreibe die Wörter mit Begleiter (Artikel) auf.

....

....

3 | Hier stimmt etwas nicht! Streiche die falschen Wörter durch.

Schreibe die Sätze richtig auf.

Nora wünscht sich so sehr eine Katze. Bald ist es soweit.
Sie muss nur noch fünf Monate warten.

....

....

....

....

Name:

1 | Lies den Text.

Nora bekommt einen Hund.
Sie holt ihn aus dem Tierheim.
Nora freut sich sehr.
Aber sie muss noch fünf Tage warten!

2 | Was stimmt? Kreuze an.

☐ Nora bekommt einen Hund.
☐ Nora bekommt eine Katze.

☐ Sie freut sich sehr.
☐ Sie freut sich gar nicht.

☐ Nora muss aber noch 3 Tage warten.
☐ Nora muss aber noch 5 Tage warten.

3 | Male alle Felder mit den Buchstaben H, U, N, D aus.

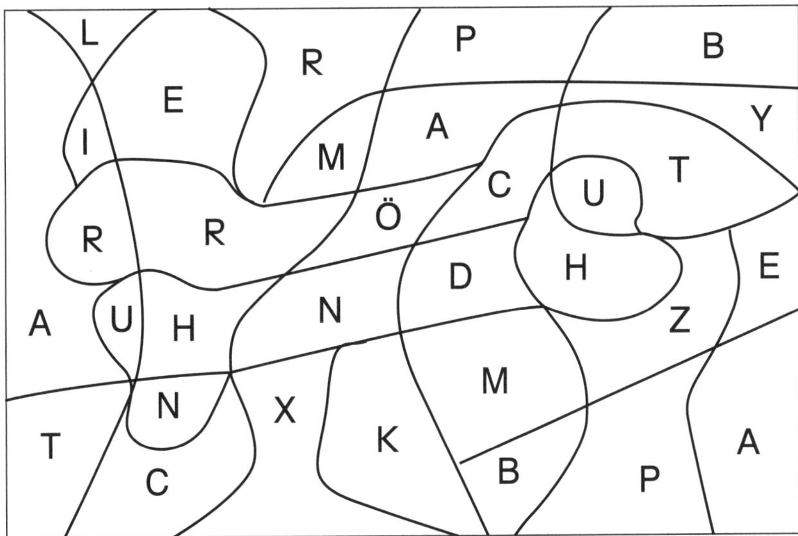

Das ist ein ....

Name:

1 | Unterstreiche und schreibe auf.

Welchen Namen hat das Fellknäuel?

Karamelli Karlamello Karamello Kartamello

....

Welchen Namen hat die Frau im Tierheim?

Frau Hollriegel Frau Holzregal Frau Hellriegel

....

Wie nennt Mattis Karamello?

Mollo Melli Mello Molle

....

2 | Schreibe richtig auf.

oS keinl ndu os nbrau

....

rE ftläu zmu toAu

....

3 | Kreuze an.

	ja	nein
Karamello läuft durch sein neues Zuhause.		
Er pinkelt in die Wohnung.		
Nora findet das schlimm. Sie schimpft.		

✶ Karamello muss noch üben. Was meint Nora damit? Sprecht darüber.

Name:

1 | Finde die Lösung. Schreibe auf.

Es ist der 6. Tag in der Woche. ....

Es ist lecker, klebrig, braun und ungesund. ....

Es gibt dort Zimmer, Fenster und Türen. ....

Es ist ein nasser Fleck. ....

Damit kann man etwas aufwischen. ....

2 | Schneide die Textfelder aus.

Klebe sie in der richtigen Reihenfolge links auf.

①		Nora, Mattis, Mama und Karamello fahren nach Hause.
②		Alle fahren früh los.
③		Karamello schaut sich alles an. Dann macht er eine Pfütze. Nora lacht.
④		Sie sehen Karamello das erste Mal.

Name:

1 | Ordne die Sätze. Nummeriere sie in der richtigen Reihenfolge.

- ☐ Sie gibt ihm einen Namen.
- ☐ Es ist Samstag.
- ☐ Er fiept.
- ☐ Nora, Mama und Mattis holen das Fellknäuel ab.
- ☐ Plötzlich gibt es eine kleine Pfütze!
- ☐ Karamello muss in der Hundebox mit nach Hause fahren.
- ☐ Nora sieht den Hund.
- ☐ Zu Hause tapst er neugierig durch die Wohnung.

2 | Welches Wort kommt nicht in der Geschichte vor? Streiche es durch.

- Fellknäuel Hund Bein Ohr Nase
- jault schaut schnüffelt streichelt fiept
- Mattis Nora Mama Frau Mann
- aufgeregt klein braun vorsichtig traurig

3 | Ergänze die fehlenden Wörter. Schreibe sie auf.

Das Fellknäuel bekommt den Namen ______________.

Er ist klein und ______________.

Gemeinsam fahren sie nach ______________ .

Dort tapst er neugierig durch die ______________ .

Name:

1 | Lies den Text.

Es ist Samstag.

Nora, Mattis und Mama fahren ins Tierheim.

Nora gibt dem Hund einen Namen.

Sein Name ist Karamello.

Dann fahren sie nach Hause.

Karamello schaut sich um.

Plötzlich pinkelt er.

Nora lacht.

Sie wischt die Pfütze auf.

2 | Welche Wörter findest du im Text in Aufgabe 1?

Kreise sie ein und schreibe sie auf.

Hund Nora Karamello Samstag Papa

Katze Mattis Sonntag Mama

3 | Male Karamello und Nora.

Name:

1 | Es sind 5 Wörter versteckt. Male sie an.

E	O	U	L	E	H	R	E	R	I	N	H
M	Z	E	W	S	T	M	B	A	E	F	Z
N	O	R	A	R	U	P	N	A	S	E	T
P	H	E	F	Z	E	W	X	H	M	K	E
U	S	F	B	M	K	O	R	B	O	R	A
J	A	H	R	E	F	S	T	P	E	Y	U

✶ **Unterstreiche diese 5 Wörter in der Geschichte.**

2 | Welches Wort passt nicht? Streiche es durch.

Die Ferien / Erifen sind zu Ende.

Alle siegen / sagen „Tschüss“.

Karamello legt sich in neisen / seinen Korb.

Nach fünf Minuten ist ihm langweilig / weiliglang.

✶ **Schreibe den Text richtig in dein Heft.**

3 | Richtig oder falsch? Kreuze an.

	ja	nein
Karamello holt sich Mamas Schuhe.		
Er zerknabbert einen Schuh.		
Karamello legt den Schuh vor Nora auf den Boden.		
Nora freut sich sehr darüber.		
Karamello wundert sich.		

Name:

1 |

Karamellbonbons Käse Bananen Kekse
Salami Brot Turnschuhe Salat Birnen
Äpfel Schokolade Brötchen Kuchen

a) Was kann man nicht essen? Streiche durch.

b) Was hat Karamello zerbissen?

die ....

c) Umkreise Obst und Gemüse grün.
Was schmeckt dir? Unterstreiche blau.

2 | **Verbinde die passenden Satzteile.**

Nach dem Frühstück	alleine.
Karamello ist	sagen alle Tschüss.
Er springt aus dem Korb	einen Schuh von Nora.
Er holt sich	und wandert durch die Wohnung.
Karamello knabbert und kaut	bis er einschläft.

3 | **Male weiter.**

Karamello liegt alleine im Korb.

Er knabbert an dem Schuh von Nora.

Karamello legt den zerbissenen Schuh vor Nora hin.

Name:

1 | **Lies und ergänze.**

Karamello ist ………………………… . Er legt sich in seinen ………………………… . Schnell ist ihm ………………………… .

Plötzlich riecht er Noras ………………………… .

Er holt einen ………………………… in seinen Korb.

Karamello knabbert daran, bis er einschläft.

Als ………………………… nach Hause kommt, hat er ein ………………………… für sie. Nora ………………………… ihn nicht.

Karamello versteht nicht, warum Nora sich nicht freut!

2 | **Karamello legt den Schuh vor Nora auf den Boden. Was denkt er? Was denkt Nora? Schreibe auf.**

Name:

1 | Lies den Text.

Karamello ist alleine zu Hause.
Ihm ist langweilig.
Er holt sich einen Schuh von Nora.
Karamello knabbert am Schuh.
Dann kommt Nora nach Hause.
Karamello zeigt ihr den Schuh.
Nora freut sich gar nicht!

2 | Streiche das falsche Wort durch. Schreibe das richtige Wort auf.

alline alleine ....

Husch Schuh ....

knabbert knabbirt ....

zteig zeigt ....

lobt btlo ....

Unterstreiche die Wörter im Text oben.

3 | Ergänze die Lücken.

Karamello ist alleine ....

Er holt sich einen .... von Nora.

Nora .... sich gar nicht!

Name:

1 | Wie oft findest du das Wort in jeder Zeile?
Unterstreiche es. Trage die Anzahl ein.

Leine	Leine Linie Lineal Leine Linie Leiste Leine	☐
Angst	Angst Ast Anne Angst Angel Angst Anne Ast	☐
Ohren	Ohren Obst Onkel Ohren Ohren Ohren Onkel	☐
Schule	Schule Schale Schal Schule Schal Schule Schal	☐

2 | Male die Gegenteile mit der gleichen Farbe an.
Schreibe die Gegenteil-Paare auf.

schnell	zappelig	....	....
glücklich	rennen	....	....
trödeln	langsam	....	....
ruhig	traurig	....	....

3 | Was stimmt? Verbinde.

Karamello hat manchmal Angst	in der Hundeschule. / zu Hause.
Aber meistens ist es dort	lustig. / traurig.
Für die Hundeschule bekommt er eine	rote Leine. / grüne Leine.
Auf dem Weg in die Hundeschule riecht es	schlecht. / gut.
Nora und Karamello müssen das Gassigehen	noch üben. / nicht üben.

Name:

1 | Was braucht ein Hund? Kreise ein.

eine Leine ein Halsband einen Futternapf

einen Wassernapf einen Kaugummi einen Korb

ein Spielzeug eine Bürste eine Banane

2 | Welches Kommando passt zum Bild? Ordne zu.

1 Auf deinen Platz!

2 Sitz!

3 Platz!

3 | Welche Hundesignale sind es? Ordne zu und schreibe auf.

Er will spielen.	Er hat Angst.	Er freut sich.	Er ist aufmerksam.

....

....

Name:

1 | Schreibe einen Antwortsatz auf.

Geht Karamello gerne in die Schule? Begründe.

Welche Farbe hat die neue Leine?

Warum setzt sich Karamello einfach hin?

Warum hängen seine Ohren?

2 | Welche Sätze sagen dasselbe aus?
Male sie jeweils in einer Farbe an.

Karamello läuft schnell.

Karamello ist traurig.

Karamello freut sich.

Karamello beeilt sich.

Nora streichelt ihn.

Karamello trödelt.

Karamello läuft ganz langsam.

Er wedelt mit dem Schwanz.

Karamellos Ohren hängen.

Nora tröstet ihn.

✶ **Schreibe die Sätze in dein Heft.**

Name:

1 | Lies den Text.

Nora nimmt Karamello an die Leine.
Sie laufen in die Hundeschule.
Einmal läuft er schnell.
Einmal läuft er langsam.
Nie ist es richtig.
Karamello ist traurig.
Nora tröstet ihn.

2 | Unterstreiche diese Wörter im Kasten bei Aufgabe 1.

Leine schnell Einmal es Karamello Nora

3 | Ergänze.

Nora nimmt Karamello an die ....
Sie .... in die Hundeschule.
Einmal läuft er ....
.... läuft er langsam.
Nie ist .... richtig.
.... ist traurig.
.... tröstet ihn.

4 | Male Nora mit Karamello an der Leine.

Name:

1 | In den Wörtern ist immer ein Buchstabe zu viel!

Streiche ihn durch. Schreibe das Wort richtig daneben.

Hausaufgauben die ....

Gartaenzaun der ....

Lülcke die ....

Haslsband das ....

Haustüsr die ....

Schatzt der ....

2 | Nora sucht Karamello. Sie ruft. Samuel bringt ihn zurück.

Schreibe auf, was beide sagen.

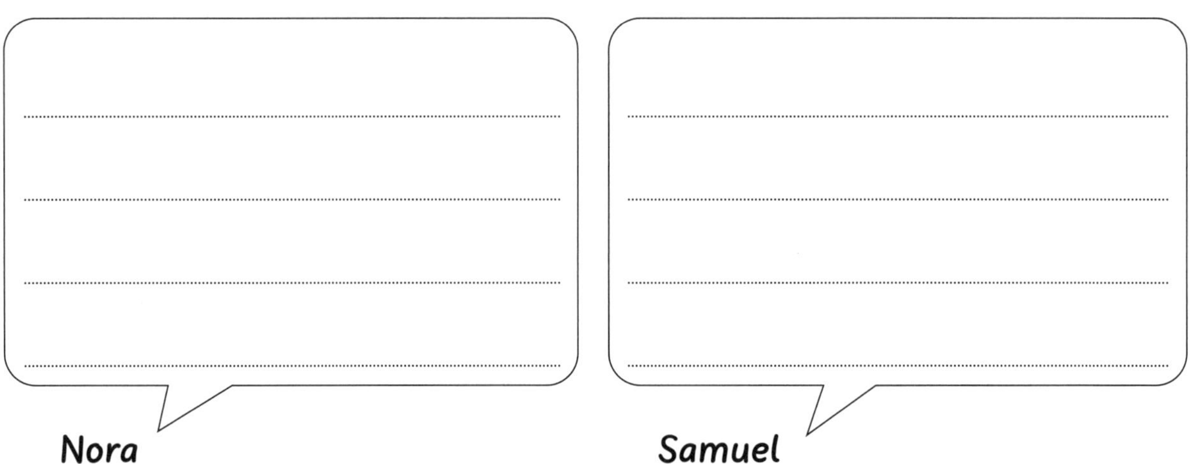

3 | Lies schnell und ohne Fehler.

Ein freundliches Fellknäuel fiept fürchterlich.

Fürchterlich fiept ein freundliches Fellknäuel.

Schreibe den Zungenbrecher in dein Heft.

★ **Kennst du auch andere Zungenbrecher? Sprich sie schnell.**

Name:

1 | **Schneide die Felder aus. Klebe sie in der richtigen Reihenfolge zusammen und falte das Leporello.**

Die Hosentaschengeschichte

Er schlüpft durch den Zaun.

Jemand packt ihn am Halsband.

Samuel bringt ihn zurück.

Karamello ist alleine im Garten.

Nora, Mama und Mattis suchen ihn.

Name:

1 | Verbinde die Satzteile.

Nora macht Hausaufgaben

und sieht plötzlich eine Lücke im Zaun.

Karamello erkundet den Garten

während Karamello alleine im Garten sitzt.

Dann klingelt es an der Haustür

Als er auf der anderen Seite des Zaunes ankommt,

aber der Garten ist leer.

und Karamello ist wieder da!

packt ihn jemand am Halsband.

Mama, Nora und Mattis wollen zu Karamello in den Garten,

2 | Was sagt Nora? Schreibe die Antwort auf.

Wir haben einen Schatz gefunden. Müssen wir ihn abgeben?

Name:

1 | Lies den Text.

Karamello ist alleine im Garten.

Er schlüpft durch den Zaun.

Dann wird er gepackt.

Karamello fiept.

Nora, Mama und Mattis suchen Karamello.

Er klingelt an der Haustür.

Karamello ist wieder da!

2 | Im Gitterrätsel sind 8 Wörter versteckt. Male sie an.

E	F	O	Y	D	F	I	E	P	E	N	G
K	R	G	A	R	T	E	N	L	P	Z	E
Z	A	U	N	H	E	W	R	N	O	R	A
K	M	A	T	T	I	S	O	Ä	D	S	Ö
Q	D	U	G	H	A	U	S	T	Ü	R	L
Z	R	M	A	M	A	F	E	L	K	W	H
A	L	L	E	I	N	E	P	S	U	O	X

3 | Welche Wörter passen? Schreibe auf.

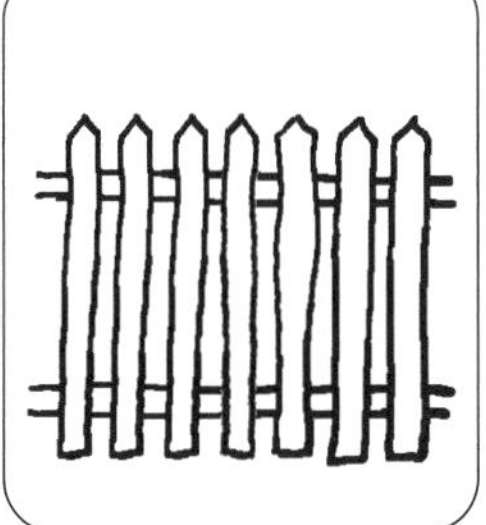

....

Name:

1 | Suche die Wörter in der Geschichte. Schreibe die Lösung auf.

Seite 29, Zeile 1, Wort 1 ……………………

Seite 29, Zeile 3, Wort 5 ……………………

Seite 29, Zeile 4, Wort 2 ……………………

Seite 29, Zeile 15, Wort 3 ……………………

Seite 29, Zeile 16, Wort 6 ……………………

Seite 30, Zeile 30, Wort 5 ……………………

Seite 31, Zeile 37, Wort 2 ……………………

2 | Ordne die Wörter nach ihren Silben. Trage ein.

◡	◡◡	◡◡◡	◡◡◡◡

3 | Ergänze den Text.

…………………… sieht plötzlich eine …………………… .

Er legt eine …………………… hin. Das ist keine Wurst,

sondern …………………… . Rudi wird sein ……………………

Beide rennen los. Das Rennen macht ihnen …………………… .

Nora, Karamello und Rudi sind …………………… geworden.

4 | Lies laut, schnell und genau.

Rudi Rennwurst rennt eine Runde rundherum.

Eine Runde rundherum rennt Rudi Rennwurst.

Rudi | AB 2: Textverständnis | Lesetraining

Name:

1 | Zeichne den Weg auf, den Karamello und Rudi rennen.

Sie rennen durch die Tannenbäume, springen über den kleinen Bach, rennen zweimal um den Apfelbaum, flitzen dann über die kleine Brücke am Bach entlang bis zur Blumenwiese. Dort legen sie sich vor dem Baum ins Gras.

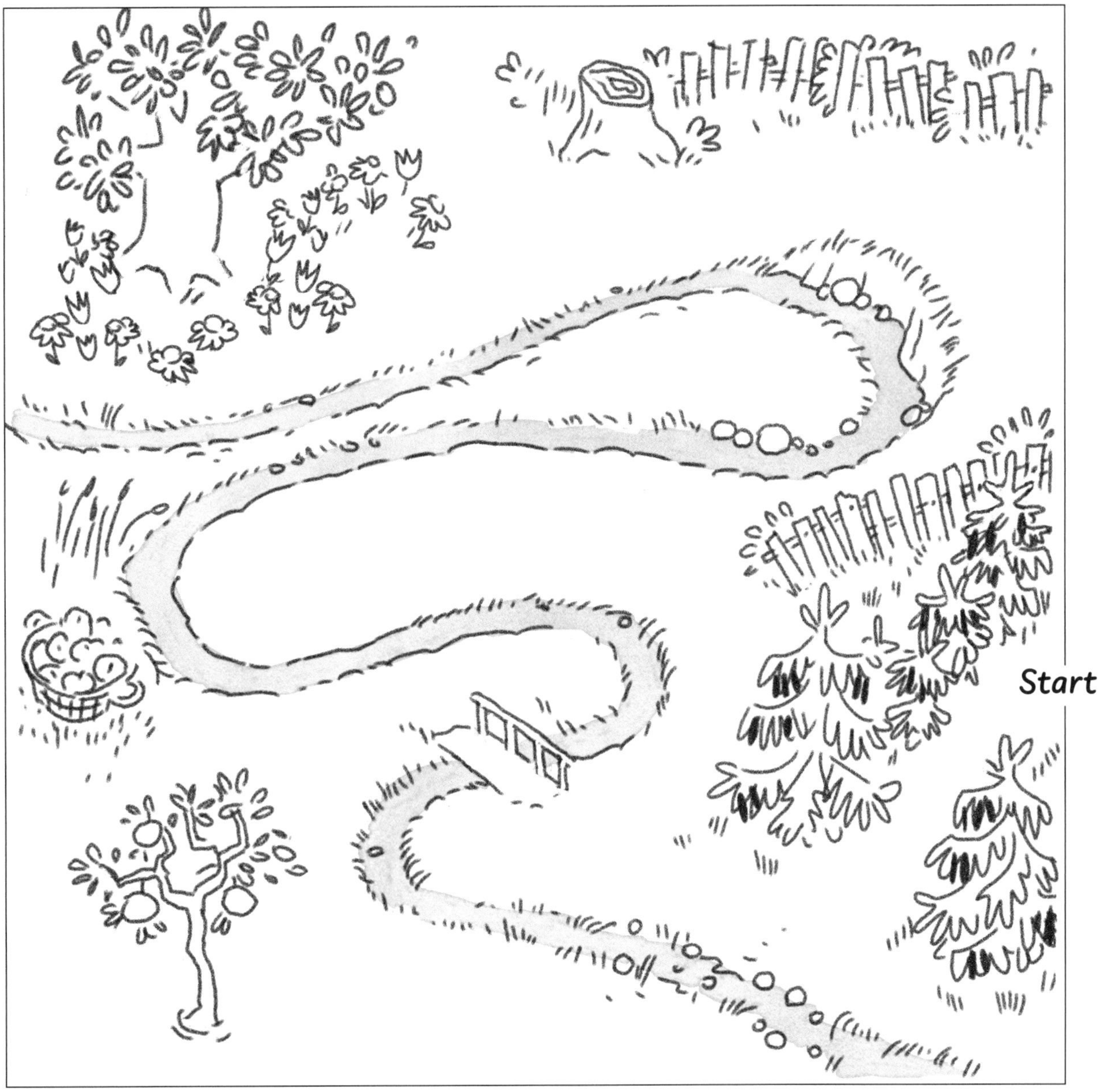

Start

2 | Denke dir einen weiteren Weg aus, den Karamello und Rudi rennen. Zeichne ihn mit einer anderen Farbe ein.

✶ Schreibe deinen ausgedachten Weg ins Heft.

Name:

1 | Wer ist es? Schreibe und male.

- „Eine Wurst auf vier Beinen mit einem Schwanz? Und Ohren?"

  Das ist ....

- Wer „legt sich einfach dazu"?

  ....

2 | Lies und denke nach. Kreuze dann an.

Karamello zwickt Rudi ein bisschen ins Bein, weil

☐ Rudi böse ist. ☐ Karamello spielen will.

Rudi und Karamello hören nicht auf Nora, weil

☐ sie schlechte Ohren haben. ☐ sie unbedingt rennen wollen.

Nora rennt auch mit, weil

☐ sie die Hunde nicht verlieren will. ☐ sie gerne rennt.

Nora schimpft nicht, weil

☐ sie atemlos ist. ☐ sie Rudi und Karamello mag.

Nora legt sich daneben, weil

☐ sie müde ist. ☐ sie auch gerne im Gras liegt.

3 | Was denkt Nora, als die Hunde wegrennen? Schreibe auf.

....

....

....

Name:

1 | Lies den Text.

Karamello sieht plötzlich eine Wurst.
Es ist aber keine Wurst.
Es ist Rudi.
Rudi ist ein kleiner Hund.
Rudi wird sein Freund.
Sie rennen los.
Das Rennen macht ihnen Freude.

2 | Unterstreiche oben bei Aufgabe 1:

Freund Freude Rudi rennen

3 | Trage die Wörter ein.

Karamello hat einen neuen ....

Der neue Freund hat den Namen ....

Rudi und Karamello ....

Das Rennen macht ....

4 | Zeichne den Weg ein.

Sie rennen zur Tanne,
dann zu dem Apfelbaum,
dann über die Brücke,
dann am Zaun vorbei
zum Baumstumpf.

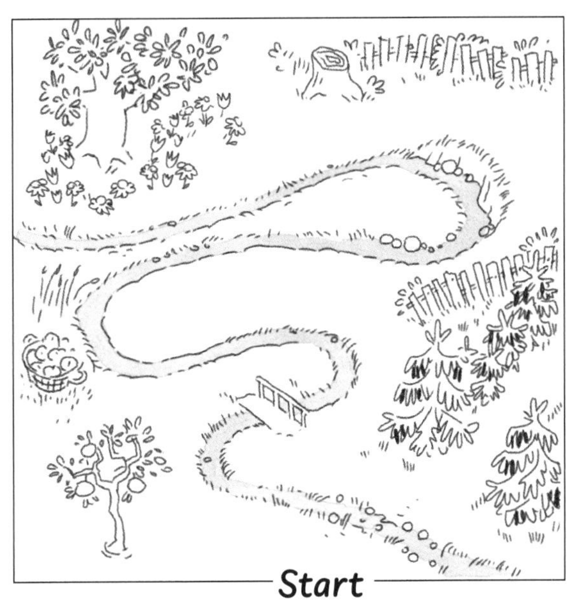

Name:

1 | Finde in jeder Zeile das Wort, das nicht in der Geschichte vorkommt. Streiche es durch.

- Nacht Geräusch Angst Gespenst Finger
- Mama Nora Mattis Esra Karamello
- Finger Hund Hand Augen Nase
- stupst flüstert rüttelt reibt lacht

2 | Richtig oder falsch? Kreuze an.

	richtig	falsch
Nora wacht mitten in der Nacht auf.		
Sie hört ein seltsames Geräusch.		
Schnell weckt sie Mattis.		
Der Korb von Karamello ist leer.		
Karamello liegt neben dem Korb.		
Er schnarcht.		

3 | Was stimmt? Kreuze an.

Nora wacht auf, weil

☐ sie ein Geräusch hört. ☐ sie auf die Toilette muss.

Nora hat Angst, weil

☐ das Geräusch neu ist. ☐ es dunkel ist.

Nora erzählt Esra die Geschichte, weil

☐ Esra Hundegeschichten liebt. ☐ Esra Gruselgeschichten liebt.

✶ **Erzähle die Geschichte nach.**
Schreibe sie mit eigenen Worten in dein Heft.

Name:

1 | Lies die Sätze. Schneide die Textfelder aus.
Klebe sie in der richtigen Reihenfolge links auf.

1		**Das Geräusch**
2		Der Korb von Karamello ist leer.
3		Sie geht zu Mama.
4		Nora wacht auf. Sie hört etwas.
5		Im Wohnzimmer finden sie Karamello.
6		Beide schleichen in den Flur.
7		Mama und Nora lachen.

Name:

1 | **Schreibe eine eigene Hundegeschichte. Male ein Bild dazu.**

Name:

1 | Lies den Text.

Nora wacht auf.

Sie hört etwas.

Schnell läuft sie in den Flur.

Karamello ist nicht in seinem Korb.

Er liegt im Wohnzimmer.

Karamello schnarcht laut.

Nora lacht!

2 | Unterstreiche die Wörter im Kasten bei Aufgabe 1.

hört läuft liegt schnarcht lacht

3 | Verbinde die passenden Formen.

hören	sie lacht
laufen	er schnarcht
liegen	sie läuft
schnarchen	er liegt
lachen	sie hört

4 | Was stimmt? Kreuze an.

- ☐ Nora wacht auf.
- ☐ Sie läuft zu Mattis.
- ☐ Karamello liegt im Bett.
- ☐ Karamello schnarcht.
- ☐ Nora lacht.

Name:

1 | Hier ist immer ein Buchstabe zu viel. Streiche ihn durch.

Ruckusack Rückeln Küchfe

Brost Liebslingsbücher Urblaub

2 | Schreibe die Wörter von Aufgabe 1 mit Begleiter (Artikel) auf.

der .... die ....

der .... die ....

der .... das ....

3 | Verbinde die passenden Satzteile.

Mattis hat einen Rucksack	ihre Lieblingsbücher ein.
Karamello ist	die Sachen von Karamello?
Nora, Mattis und Mama	fahren in den Urlaub.
Nora packt	ständig im Weg.
Wo sind denn	auf dem Rücken.

✶ **Schreibe die Sätze in dein Heft.**

4 | Was ist dein Lieblingsbuch? Begründe.

....

....

....

....

....

Name:

1 | Was stimmt? Kreuze an.

Im Flur sammeln sich

- [ ] Taschen und Tüten.
- [ ] Flaschen und Tücher.

Karamello hört ständig:

- [ ] „Karamello, geh weg!"
- [ ] „Karamello, komm her!"

Nora packt ihre

- [ ] Lieblingsbücher ein.
- [ ] Lieblingstücher ein.

Karamello legt sich

- [ ] neben die Hausschuhe.
- [ ] vor die Haustüre.

2 | Welche Reihenfolge ist richtig? Ordne und nummeriere.

- [ ] Im Haus passieren seltsame Dinge.
- [ ] Karamello stört dauernd.
- [ ] Nora packt Bücher. Mama schmiert Brote.
- [ ] Im Flur stehen viele Dinge.
- [ ] Nur die Sachen von Karamello fehlen.
- [ ] Karamello ist traurig.
- [ ] Nora flüstert mit ihm.
- [ ] Karamello darf mit in den Urlaub fahren.

3 | Wohin könnten Mattis, Nora, Mama und Karamello fahren?
Schreibe und male deine Ideen ins Heft.

Name:

1 | **Was bedeutet das? Kreuze an.**

Karamello geht ein Licht auf.

- [ ] Es wird hell in seinem Kopf.
- [ ] Er hat eine Lampe auf seinem Kopf.
- [ ] Er versteht plötzlich was passiert.

2 | **Karamello sieht seine Sachen nicht. Was denkt er? Schreibe auf.**

3 | **Karamello legt sich vor die Haustür. Er denkt: „Sicher ist sicher."**

Was meint er damit? Kreuze an.

- [ ] So kommt kein Einbrecher herein.
- [ ] So werde ich nicht vergessen.
- [ ] So stolpern alle über mich.

4 | **Würdest du gerne mit in die Ferien fahren? Begründe.**

Name:

1 | Lies den Text.

Nora, Mattis und Mama packen.
Sie fahren in die Ferien.
Karamello sieht seine Sachen nicht.
Darf er nicht mitfahren?
Nora flüstert mit ihm.
Dann holt Karamello seine Leine.
Er darf mitfahren!

2 | Unterstreiche diese Wörter im Kasten in Aufgabe 1.

packen Ferien Sachen Leine mitfahren

3 | Nummeriere die Sätze in der richtigen Reihenfolge.

- ☐ Nora flüstert mit ihm.
- ☐ Er darf mitfahren!
- ☐ Karamello holt seine Leine.
- ☐ Sie fahren in die Ferien.
- ☐ Nora, Mattis und Mama packen.
- ☐ Karamello sieht seine Sachen nicht.
- ☐ Darf er nicht mitfahren?

★ **Schreibe die Sätze geordnet in dein Heft.**

1 | Montag

- Nora kann nicht schlafen. Sie ist so aufgeregt. Ist es euch auch schon einmal so ergangen? Erzählt.

- Es gibt auch andere Haustiere. Überlegt euch, welche Sachen man für eine Katze, einen Wellensittich und einen Hamster braucht. Fallen euch noch andere Haustiere ein? Überlegt gemeinsam.

★ Wenn man aufgeregt ist, kann man nicht einschlafen. Stimmt das? Sprecht darüber.

2 | Samstag

- Nora, Mattis und Mama holen Karamello aus dem Tierheim. Findet ihr es richtig, ein Tier aus dem Tierheim zu holen? Sprecht darüber.

- Karamello macht eine Pfütze in die Wohnung. Was muss Nora tun, damit das nicht mehr passiert?

- Was muss Karamello noch lernen? Unterhaltet euch darüber.

★ Es ist nicht gut, ein Tier aus dem Tierheim zu holen. Stimmt das? Diskutiert.

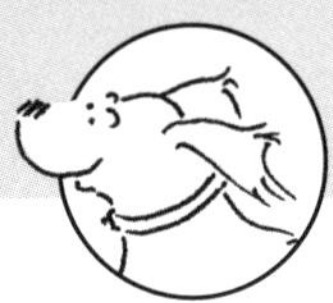

3 | Das Geschenk 

- Karamello zerkaut den Schuh von Nora.
  Warum hat er das gemacht? Vermutet.
  Hätte Nora etwas tun können, dass Karamello das nicht macht?

- Wenn Karamello bei dir zu Hause wohnen würde, müsste er da auch alleine sein?
  Überlege. Sprecht dann darüber.

✶ Alle Hunde zerkauen Schuhe.
Stimmt das? Diskutiert.

4 | Das Team 

- Nora und Karamello mögen sich, aber sie sind noch kein gutes Team. Was bedeutet es, ein gutes Team zu sein? Erklärt.

- Karamello muss in der Hundeschule viel lernen.
  Was lernen Hunde in der Hundeschule?
  Sprecht darüber.

✶ Nur Menschen können eine Schule besuchen.
Eine Hundeschule ist Quatsch. Stimmt das? Diskutiert.

5 | Der Zaun

- Bist du auch schon einmal von zu Hause weggelaufen? Warum? Erzähle.

- Hast du schon einmal jemanden gesucht, den du sehr magst?
  Hast du ihn gefunden? Wie war das für dich?
  Berichte.

✶ Wer von zu Hause wegläuft, findet nicht mehr nach Hause zurück. Stimmt das? Sprecht darüber.

6 | Rudi

- Karamello zwickt Rudi ganz leicht ins Bein.
  Ist das eine gute Idee, um einen neuen Freund zu finden?
  Tauscht eure Meinungen aus.

- Erinnerst du dich, wie du deinen besten Freund oder deine beste Freundin kennengelernt hast? Erzähle.

✶ Wenn ich zu jemandem fies und gemein bin, dann wird das bestimmt schnell mein Freund oder meine Freundin. Stimmt das? Begründet.

7 | Das Geräusch 

- Nora hört ein Geräusch in der Nacht.
  Sie hat Angst und weckt ihre Mama.
  Hättest du das auch gemacht?
  Was hätte Nora noch tun können? Sprecht darüber.

- Was macht dir Angst? Und was machst du dagegen?
  Erzähle.

✶ Wer Angst hat, ist dumm? Stimmt das?
Diskutiert.

8 | Die Ferien 

- Alle fahren in den Urlaub. Nora packt ihre Lieblingsbücher ein. Welches sind deine Lieblingsbücher?
  Begründe.

- Was hast du in den letzten Ferien gemacht?
  Erzähle.

✶ Es ist langweilig, in die Ferien zu fahren. Stimmt das?
Begründet.

Das Karamello-Zuhörheft

Kopiervorlagen für das Karamello-Zuhörheft

Die Karamellogeschichten können auch zur Übung des Hörverstehens genutzt werden. Dazu sollten die Geschichten noch weitestgehend unbekannt sein. Vorlagen einfach kopieren, auseinanderschneiden und heften. So kann jedes Kind sein eigenes Heft basteln!

Die Hördateien und weitere Zusatzmaterialien können Sie ganz einfach online unter den genannten Websites aufrufen.

Für die Schweiz: www.schubi.com/ch/de/landing/lesetandems-1-2
Für Deutschland: www.schubi.com/de/de/landing/lesetandems-1-2
Für Österreich: www.schubi.com/at/de/landing/lesetandems-1-2

Code: Karamellbonbon

Viel Freude beim Zuhören!

Dieses Heft gehört:

Karamello-Zuhörheft

(1)

1 | Welcher Wochentag ist in der Geschichte?

Kreuze an.

- ☐ Mittwoch
- ☐ Montag
- ☐ Sonntag

2 | Wann gehen Nora und ihre Familie zu Frau Hellriegel?

Male die richtige Wolke aus.

Samstag

Dienstag

Sonntag

(2)

3 | Wie fühlt sich Nora? Kreuze an.

- ☐ Sie ist aufgeregt und freut sich.
- ☐ Sie ist traurig.
- ☐ Sie ist wütend.

4 | Was für ein Haustier wünscht sich Nora? Male es.

3

1 | **Woran denkt Nora, als sie den Hund das erste Mal sieht? Kreuze an.**

☐ ☐ ☐

2 | **Nora sieht Karamello zum ersten Mal. Sie sagt:**

- ☐ Oh, ein Kamelbonbon!
- ☐ Oh, ein Bonbonkaramell!
- ☐ Oh, ein Karamellbonbon!

4

3 | **Wie nennt Mama den Hund? Kreuze an.**

- ☐ Mello
- ☐ Karamello
- ☐ Fellknäuel

4 | **Was sagt Mattis zu Karamello? Schreibe auf.**

....

....

....

5

1 | **Welchen Beruf hat Noras Mama?**

Kreuze an.

- ☐ Gärtnerin
- ☐ Lehrerin
- ☐ Ärztin

2 | **Wie alt ist Mattis?**

Kreuze an.

- ☐ 2
- ☐ 4
- ☐ 6

6

3 | **Karamello zerkaut etwas. Was ist es? Male!**

Wo ist Nora? Kreuze an.

- ☐ Nora ist in der Schule.
- ☐ Nora ist auf dem Spielplatz.
- ☐ Nora ist im Schwimmbad.

7

1 | **Welche Farbe hat Karamellos Leine?**

Male den richtigen Kreis aus.

2 | **Karamello muss in die Hundeschule gehen.**

Was stimmt? Kreuze an.

- ☐ Karamello geht sehr gerne in die Hundeschule.
- ☐ Er mag die vielen Hunde.
- ☐ Manchmal ist es lustig.

✂ ....

8

3 | **Wohin gehen Nora und Karamello? Kreuze an.**

- ☐ Sie gehen spazieren.
- ☐ Sie gehen ein Eis essen.
- ☐ Sie gehen in die Hundeschule.

4 | **Male Karamello und Nora auf dem Weg zur Hundeschule.**

9

1 | **Wer sagt die folgenden Sätze?**

Schreibe den Namen auf.

Karamello, wo bist du?
Wo bist du denn?
Hier her!

KARAMELLO???

....

✂ ....

10

2 | **Was macht Karamello im Garten? Kreuze an.**

☐ Er klettert durch eine Lücke im Gartenzaun.

☐ Er schläft.

☐ Er spielt mit Nora.

3 | **Die Sätze sind durcheinander geraten.**

Bringe sie in die richtige Reihenfolge. Nummeriere.

☐ Samuel und Nina bringen Karamello zurück.

☐ Nora macht Hausaufgaben.

☐ Karamello schlüpft durch eine Lücke im Gartenzaun.

11

1 | **Wen treffen Nora und Karamello?**

Kreuze an.

- ☐ Dackel Rudi
- ☐ Schäferhund Ralf
- ☐ Dalmatiner Ulf

2 | **Wie sieht Rudi für Karamello aus?**

Kreuze an.

☐ ☐ ☐

12

3 | **Male den Dackel Rudi.**

4 | **Was machen die beiden Hunde? Kreuze an.**

- ☐ Sie spielen mit dem Ball
- ☐ Sie streiten sich.
- ☐ Sie rennen um die Wette.

13

1 | Was macht Nora, als sie das Geräusch hört?

Kreuze an.

- ☐ Sie weckt ihre Mama auf.
- ☐ Sie versucht weiterzuschlafen.
- ☐ Sie singt ganz laut.

2 | Welche Tageszeit ist in der Geschichte?

Male den richtigen Kreis aus.

morgens *mittags* *abends* *nachts*

✂ ....

14

3 | Welches Geräusch hört Nora? Male die richtige Wolke aus.

ein Schnarchen

einen Staubsauger

einen Einbrecher

4 | Welchen Namen hat Noras Freundin? Kreuze an.

- ☐ Matilda
- ☐ Esra
- ☐ Linda

15

1 | Welche seltsamen Dinge passieren im Haus?

Kreuze an.

- ☐ Die Fahrräder werden geputzt.
- ☐ Alle rennen die ganze Zeit zwischen dem Keller, dem Haus und der Garage hin und her.
- ☐ Taschen und Tüten sammeln sich im Flur.

2 | Wohin will die ganze Familie fahren?

Kreuze an.

- ☐ Alle fahren in den Urlaub.
- ☐ Alle fahren zum Arzt.
- ☐ Alle fahren zum Einkaufen.

16

3 | Was hört Karamello dauernd von seiner Familie?

Male die Sprechblasen aus.

Karamello, geh da mal weg.

Karamello, willst du mit mir spielen?

Nein Karamello, jetzt nicht.

4 | Was machst du in deinen Ferien am liebsten?

Male und schreibe auf.

....

....

....

....